En Español

Trabajo en grupo

Pilotos

Joanne Mattern

The Rosen Publishing Group's
Editorial Buenas Letras™
New York

Published in 2003 by The Rosen Publishing Group, Inc.
29 East 21st Street, New York, NY 10010

First Edition in Spanish 2003
First Edition in English 2002

Book Design: Laura Stein

Photo Credits: Cover, pp. 5, 7, 9, 11, 13, 15, 19, 21 Cindy Reiman;
pp. 16–17, back cover © Index Stock Imagery

Thanks to Rifton Aviation Services, New Windsor, NY

Mattern, Joanne, 1963–
     Pilotos / por Joanne Mattern; traducción al español: Spanish
     Educational Publishing
     p. cm. — (Trabajo en grupo)
     Includes bibliographical references and index.
     ISBN 0-8239-6840-5 (library binding)
     1. Airplanes—Piloting—Juvenile literature. 2. Air pilots—Juvenile
     literature. [1. Air pilots. 2. Jet planes—Piloting. 3. Occupations. 4.
     Spanish Language Materials.]
     I. Title. II. Working together

     TL710 .M383 2001
     629.132'52—dc21

                                        2001000604

Manufactured in the United States of America

Contenido

Te presento al piloto

Me llamo Esteban y soy piloto.
Viajo por todo el mundo.
Siempre viajo con un copiloto.
Trabajamos juntos.

Tenemos mucho que hacer
antes de que despegue el avión.
Leemos el pronóstico del tiempo.
Nos dice si tenemos que evitar
alguna tormenta.

La cabina

El copiloto y yo nos sentamos en la cabina. En la cabina hay computadoras y otras máquinas para pilotear el avión.

Éste es el acelerador. Al bajar
la palanca del acelerador el avión
va más rápido. El timón se controla
moviendo los pedales. El timón
cambia la dirección del avión.

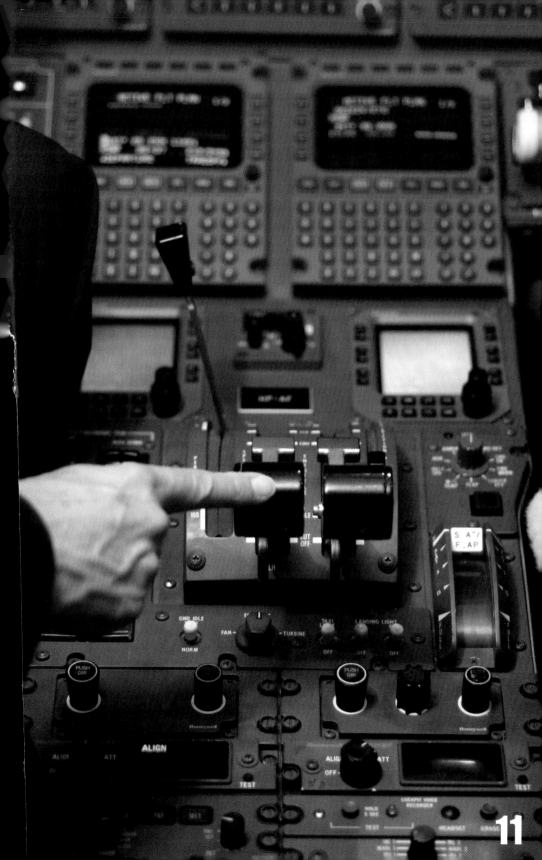

Leemos las notas sobre el avión.
En las notas dice cuánto
combustible hay en el avión.
Las notas nos indican a qué
velocidad podemos viajar.
También dicen cuánto tiempo
llevará el vuelo.

Pilotear el avión

Ya casi es hora de despegar.
Marcamos el plan de vuelo
en la computadora de la cabina.
Vemos que todo funcione bien
dentro y fuera del avión.

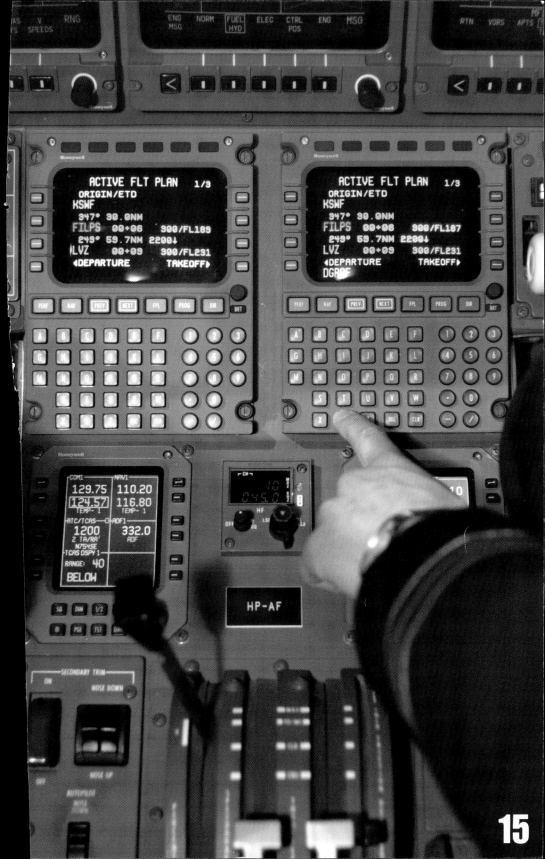

El avión despega por la pista.
Después se alza por los aires.

17

El copiloto y yo trabajamos juntos.
Si yo me canso en un viaje largo,
el copiloto pilotea el avión mientras
que yo descanso.

El aterrizaje

Hacemos aterrizar el avión.
Nos despedimos de los pasajeros.
Tuvimos buen viaje. ¡Qué bueno!

Glosario

acelerador (el) parte del avión con que se controla la velocidad

cabina (la) parte del avión donde se sienta el piloto

copiloto (el/la) persona que ayuda al piloto a pilotear el avión

pilotear manejar un avión

pista (la) franja de terreno nivelado donde despegan y aterrizan los aviones

plan de vuelo (el) información acerca del recorrido de un avión

timón (el) parte del avión con que se controla la dirección

Recursos

Libros

Flight and Flying Machines
Steve Parker
Dorling Kindersley Publishing (1993)

Amelia Earhart: Young Aviator
Beatrice Gormley
Simon & Schuster Children's Press (2000)

Sitios web

Debido a las constantes modificaciones en los sitios de Internet, PowerKids Press ha desarrollado una guía on-line de sitios relacionados al tema de este libro. Nuestro sitio web se actualiza constantemente. Por favor utiliza la siguiente dirección para consultar la lista:

http://www.buenasletraslinks.com/tg/pilsp/

Índice

Número de palabras: 210

Nota para bibliotecarios, maestros y padres de familia

Si leer es un reto, ¡Reading Power en español es la solución! Reading Power es ideal para lectores hispanoparlantes que buscan un nivel de lectura accesible en su propio idioma. Ilustrados con fotografías, estos libros presentan la información de manera atractiva y utilizan un vocabulario sencillo que tiene en cuenta las diferencias lingüísticas entre los lectores hispanos. Relacionando claramente texto con imágenes, los libros de Reading Power dan al lector todo el control. Ahora los lectores cuentan con el poder para obtener la información y la experiencia que necesitan en un ameno formato completamente ¡en español!

Note to Librarians, Teachers, and Parents

If reading is a challenge, Reading Power is a solution! Reading Power is perfect for readers who want high-interest subject matter at an accessible reading level. These fact-filled, photo-illustrated books are designed for readers who want straightforward vocabulary, engaging topics, and a manageable reading experience. With clear picture/text correspondence, leveled Reading Power books put the reader in charge. Now readers have the power to get the information they want and the skills they need in a user-friendly format.